La Belle
au bois dormant

Le roi
et la reine

Les fées

La vieille fée

Le prince
charmant

La Belle
au bois dormant

Adapté par Anne Royer • Illustré par Candy Bird

Editions Lito

Il était une fois…

… un roi et une reine qui avaient attendu de très longues années la joie d'avoir un enfant. Lorsqu'il leur naquit enfin une fille, ils décidèrent d'organiser la plus grandiose des fêtes. Ils y invitèrent, bien sûr, les marraines de la petite princesse, six fées.

Les cinq premières fées se penchèrent au-dessus du berceau pour offrir à l'enfant tous les dons possibles et inimaginables. Une très vieille fée qui n'avait pas été conviée, car on la croyait morte depuis longtemps, apparut dans un bruit de tonnerre. Très en colère d'avoir été ainsi négligée, elle se pencha au-dessus du berceau de l'enfant.

– De moi, tu ne recevras aucun talent, mais seulement une prédiction : à quinze ans, tu te perceras la main avec un fuseau et tu en mourras !

L'assemblée poussa un cri d'effroi, car tous savaient que ce qu'annonçaient les fées avait force de loi.

C'est alors que la sixième fée se montra.

– Je me suis tenue cachée jusqu'à maintenant afin de pouvoir parler la dernière. Hélas, il m'est impossible de défaire ce qui vient d'être dit, mais je peux néanmoins l'adoucir. La jeune princesse ne mourra pas en se piquant : elle s'endormira pour cent ans. Seul le baiser d'un prince la réveillera…

Aussitôt, le roi envoya des messagers sur toutes les routes de son royaume. Il était désormais interdit, sous peine d'y laisser sa vie, de filer la laine et de posséder un fuseau.

Les années passèrent, et la princesse était devenue si belle et avait un tempérament si joyeux que ses parents avaient presque fini par oublier la triste malédiction attachée à ses pas. Lorsqu'elle atteignit ses quinze ans, ils décidèrent de séjourner dans une de leurs nombreuses demeures. La jeune fille, qui découvrait l'endroit, en visita tous les recoins. Un matin, elle monta un escalier vermoulu menant à un donjon. Là, une vieille servante était occupée à une étrange besogne.

– Que faites-vous donc ? questionna la princesse.

– Je file la laine, ma petite, répondit la vieille.

– Puis-je essayer ? demanda encore la jeune fille.

Hélas, mille fois hélas ! À peine la servante lui eut-elle tendu le fuseau que la jeune fille s'en perça la main et tomba à terre !

Comprenant que la terrible prédiction venait de s'accomplir, le roi et la reine firent porter leur enfant sur un grand lit brodé d'or et d'argent. Ils pleurèrent des jours entiers en la regardant.

Un matin, ils eurent la surprise de voir arriver la fée qui avait parlé la dernière lors du baptême.

– Pour qu'à son réveil la princesse ne soit pas seule, je vais vous endormir, ainsi que tous les gens de cette maison.

Et ce qui venait d'être dit fut fait. À peine la fée eut-elle quitté les lieux que les arbres et les ronces y poussèrent jusqu'à former une muraille si haute qu'elle laissait tout juste deviner la silhouette du donjon.

Cent ans plus tard, un prince, parti à la chasse, remarqua l'étrange château étranglé de verdure. Comme il se renseignait, on lui rapporta l'histoire d'une princesse endormie depuis cent ans et qui n'attendait que le baiser d'un prince pour se réveiller.

Le jeune homme se dirigea aussitôt vers le château et eut la surprise de voir les arbres et les ronces s'ouvrir devant lui comme par enchantement. Sa stupeur grandit encore lorsqu'il découvrit la foule des serviteurs endormis jonchant le sol du château. Enfin, après avoir erré dans toute la demeure, il découvrit la chambre où la belle était assoupie.

Jamais, en la voyant si ravissante, on n'aurait pu penser qu'elle reposait ainsi depuis cent ans. Le prince s'approcha d'elle, l'embrassa, et la demoiselle ouvrit les yeux.

– Enfin vous voilà ! dit-elle en souriant. Il me semble que vous vous êtes bien fait attendre…

Le roi et la reine, ainsi que toute la maisonnée, se réveillèrent également. Le prince et la jeune fille furent bientôt conviés à un festin. Durant ce repas, dont les préparatifs avaient été commencés cent ans auparavant, ils se promirent de ne plus jamais se quitter et, pour cela, de se marier dès le lendemain !